© Peralt Montagut
D.L.: B. 34.425-2004
BE 13
Impreso en C.E.E.

El Patito

Feo

Ilustrado por Graham Percy

PERALT MONTAGUT EDICIONES

Érase una vez una mamá pato que incubaba sus huevos y esperaba impaciente el nacimiento de los polluelos.

Los otros patos disfrutaban tanto nadando en
el estanque que nunca iban a visitarla.

Una bonita mañana, los huevos empezaron
a resquebrajarse, y uno a uno, los patitos salieron
de sus cascarones.

Al descubrir la belleza de tan vasto mundo, se
pusieron todos a piar alegremente.

El ruido llamó la atención
de una vieja pata que
nadaba al borde del
estanque.
Mamá pata le dijo:

«¡Oh! ¡Mirad, mirad, qué
hermosos son mis pequeños!
Oh, pero si el huevo más gordo
todavía no se ha roto...
Tendré que continuar empollándolo.»
Al ver la vieja pata el huevo gordo,
le dijo sacudiendo la cabeza:

«Estoy segura de que es un huevo de pava. Una cosa semejante me ocurrió a mí.» Pero mamá pata no quedó convencida y decidió empollar un poco más el huevo.

Finalmente, el huevo gordo se quebró, y cuando de él salió el patito, su madre exclamó: «¡Anda! Eres muy gordo para ser un pato, pero pronto voy a saber si eres un patito o un pavito.» Y diciendo esto, lo empujó al agua en el sitio donde jugaban los otros patitos.

¡PLOF! Feo y gris, el recién llegado alcanzó
a los otros patitos que jugaban alegres en medio de
los juncos.

«En todo caso no es un pavo ya que nada de
maravilla.»

Al día siguiente, decidió
llevar a la granja a toda su
pequeña familia. Por el
camino les enseñó a andar
en fila india para que no
se perdieran.

Pero cuando los otros animales de la granja vieron
la perfecta fila cruzar la valla, se desternillaron de
risa, y señalando al que cerraba la marcha
exclamaron: «¡Oh! ¡Qué gordo! ¡Qué feo! ¡Qué
gordo! ¡Qué feo!»

En la casita donde vivían, nadie le dejaba sitio.
Hasta la niña que cada día les daba la comida, le
hizo horribles muecas.

De tal forma que el pobre patito, al anochecer, decidió volver a los juncos del estanque y vivir allí solo.

Algunos días más tarde, tres cazadores se aproximaron a su refugio y dispararon sobre unas ocas salvajes.

Los disparos del fusil y el ladrar de los perros aterrorizaron al pobre patito, que escapó entre las cañas hacia los campos.

Al caer la noche, llegó a una pequeña casita.

En el interior había una pobre vieja, un gato y una gallina que tenía unas patas muy cortas. Al verle, la vieja exclamó:

«¡Caramba! ¡Vaya suerte! Podré tener huevos de pata... A no ser que esto sea un pato. En fin, ya veremos...»

Y le permitieron quedarse algunas semanas. Pero allí, el patito tampoco era feliz.

«¿Sabes poner huevos?», le preguntó la gallina. «No», respondió el patito.

«¿Sabes arquear el lomo y ronronear?», preguntó el gato. «No», contestó el patito. «Pero adoro deslizarme sobre el agua y deslizarme hasta el fondo del estanque.»

«¡Todo esto a nosotros no nos sirve para nada!»,
dijeron el gato y la gallina. Una vez más, el pobre
patito se sintió despreciado. Muy triste, se adentró
con el frío del otoño, buscando un refugio en
el monte cerca de un lago o de un estanque.

Lo encontró en medio de unas cañas al borde de
un pantano. Allí pasó todo el invierno, sintiéndose
muy débil y pasando mucho frío. Al fin, volvió
el calor del sol. Las golondrinas
cantaron de nuevo. Había
vuelto la primavera.

Se dirigió hacia unos manzanos floridos. Entre las flores había tres de los más bellos pájaros que jamás había visto. Eran... ¡cisnes!.

Extendió sus alas y se les acercó. Después, juntos, volaron en dirección al estanque. Mientras los seguía, se decía tristemente:

«Estos pájaros tan bellos jamás querrán tenerme como amigo...»

Al llegar al estanque, vio su imagen reflejada en el agua...

¡Ya no era un pato torpe de plumas grises!
¡Se había convertido en un maravilloso cisne!

Cuando llegaron a la granja, la niña que tan mala fue con él, se acercó con su hermano gritando: «¡Oh! ¡Los cisnes, los cisnes! ¡Mira, hay uno nuevo, y es el más bonito de todos!»

Salió del agua y se dirigió orgulloso hacia
los niños, mientras pensaba: «¡Cuando era un
patito feo, jamás pude imaginar que un día sería
tan feliz!»